LA MÉDITATION

DE LA THÉORIE À LA PRATIQUE

LA MÉDITATION

Jayanti Bhen

ÉDITIONS
SCIENCES ET *CULTURE*

L'édition originale de cet ouvrage a été publiée sous le titre
PRACTICAL MEDITATION. Spiritual Yoga for the Mind

ISBN 1-55874-827-X

Réalisation de la couverture : Michèle Lecavalier
Traduit en français par les centres Brahma Kumaris

Dépôt légal : 1er trimestre 2004
Bibliothèque nationale du Québec
Bibliothèque nationale du Canada

ISBN 2-89092-288-X

Éditions Sciences et Culture
5090, rue de Bellechasse
Montréal (Québec) Canada H1T 2A2
(514) 253-0403 Téléc.: (514) 256-5078
www.sciences-culture.qc.ca
admin@sciences-culture.qc.ca

Nous reconnaissons l'aide financière du gouvernement du Canada par l'entremise du Programme d'aide au développement de l'industrie de l'édition pour nos activités d'édition.

IMPRIMÉ AU CANADA

Table des matières

Avant-propos

La méditation, de la théorie à la pratique est un ouvrage vivement conseillé à celles et ceux qui commencent à découvrir la beauté et la force de leur univers intérieur, et qui, dans leur effort pour aborder les complexités et le rythme de plus en plus effréné de la vie, comprennent le besoin de développer le pouvoir de l'esprit.

Les neuf chapitres abordés ici reposent sur les enseignements des Brahma Kumaris. Cette organisation internationale offre aux personnes de toutes origines des opportunités d'apprendre à méditer et approfondir leur compréhension d'elles-mêmes. Ces leçons, qui peuvent se pratiquer par soi-même, sont sources de nombreux bénéfices. Elles comportent des exemples de méditations pour passer concrètement de la théorie à la pratique. Les étudier tout en assistant aux cours de méditation proposés gratuitement dans l'un des 6000 centres Brahma Kumaris répartis dans le monde serait cependant très profitable. L'atmosphère qui y règne et l'expérience des personnes qui animent les cours éclaireront les compréhensions et réalisations acquises à la simple lecture de ce livre.

La méditation intégrée au quotidien donne accès à une véritable paix de l'esprit et permet d'adopter, envers la vie, une attitude saine et positive.

JAYANTI BHEN
Directrice de la section Europe
des Brahma Kumaris

Leçon 1

Pourquoi méditer ?

Les bénéfices recherchés dans la méditation sont très variés. Certains aspirent à la paix ou au silence, d'autres à la maîtrise d'eux-mêmes et d'autres encore au pouvoir spirituel. Les buts le plus souvent évoqués restent cependant la paix et la paix de l'esprit. Les deux notions semblent ne comporter aucune différence mais, à bien y réfléchir, on peut voir ce qui les distingue : la paix est une simple expérience, tandis que la paix de l'esprit est un véritable mode de vie.

Même si c'est bien souvent de façon éphémère, tout le monde ressent la paix par moments. Cette expérience n'est pas particulièrement inaccessible. Mais elle est grandement facilitée par la pratique de la méditation, puisque c'est précisément son but. Pour ceux qui aimeraient rester dans cet état constamment, cela paraît plus difficile.

Ressentir une paix de l'esprit constante requiert plus qu'une simple technique de méditation. Il faudrait, dans l'exercice de nos occupations quotidiennes, pouvoir se maîtriser pour choisir ce que l'on veut expérimenter en fonction du moment. Mais il n'est pas toujours possible, en cas de dispute avec un automobiliste par exemple, de s'introvertir profondément pendant cinq minutes pour retrouver en soi une paix fragile si facilement perdue! L'expérience de la paix doit avoir été accumulée en méditation pour être utilisée au moment opportun, plus particulièrement dans les situations où l'on est amené à perdre son calme. À quoi servirait-elle, sinon?

C'est la raison pour laquelle ce cours de méditation est conçu en deux étapes :

- LA PREMIÈRE ÉTAPE propose une méthode de méditation simple et efficace nommée méditation du Raja Yoga. Elle traite également des façons d'approfondir les expériences vécues.
- LA SECONDE ÉTAPE identifie les causes de stress dans la vie; cette compréhension donne les moyens de se transformer en utilisant le pouvoir obtenu par la méditation.

Tous les outils seront ainsi disponibles pour traduire les sentiments de *paix* en actes de *paix*, afin que la *paix* devienne *paix* de l'esprit.

Qu'est-ce que la méditation?

La méditation permet de se connaître parfaitement *intérieurement* et d'observer la façon dont on réagit aux stimuli *extérieurs*; mais elle permet, avant tout, de prendre plaisir à ce que l'on est vraiment : découvrir un *moi* bien différent de la personne probablement troublée ou stressée qui semble être *moi*, réaliser que ma vraie nature, le vrai moi est, en fait, extrêmement positif, apprendre qu'un océan de paix est à portée de main.

Une jolie histoire indienne raconte qu'une reine avait perdu son précieux collier de perles. Tourmentée, elle le chercha partout et au moment où elle allait abandonner tout espoir de le retrouver, elle se rendit compte qu'elle le portait, en fait, autour de son cou! La paix est comme ce précieux collier. Si, pour la trouver, on se tourne vers l'environnement extérieur physique ou vers les autres, les recherches restent vaines; mais si on apprend à la chercher au fond de soi, on réalise qu'elle y a résidé de toute éternité.

Le mot *méditation* semble issu de la racine latine *medere*, qui signifie *guérir* et regroupe différentes façons d'utiliser l'esprit : contemplation, concentration, dévotion, répétition de mantras...

La méditation peut, dans une certaine mesure, être considérée comme un procédé de guérison émotionnelle, mentale ou même physique. La définition la plus simple de la méditation pourrait être *bon usage de l'esprit* ou *pensée positive*. Il ne s'agit pas là de s'abstenir de penser, de faire le vide dans son esprit, mais plutôt d'utiliser l'esprit correctement. Dans la plupart des cas, la méditation repose sur deux exercices :

- la concentration, qui utilise souvent un objet (fleur, bougie...)
- la répétition d'un mantra.

Un mantra est une phrase, un mot ou un son sacré que l'on répète continuellement, tout haut ou en silence dans son esprit. La traduction littérale en est : *man* (esprit) et *tra* (libérer). Un mantra est donc *ce qui libère l'esprit.* La méditation du Raja Yoga utilise la concentration, mais sans le support d'un objet physique. L'objet de la concentration est l'être *intérieur.* Au lieu de répéter un mot ou une phrase, on optimise le flux des pensées, utilisant ainsi l'esprit et ses facultés de façon naturelle.

Le flux de pensées positives repose sur une compréhension précise de soi. Il agit comme une clé pour libérer le trésor d'expériences de paix qui sommeille au fond de chacun.

Exercice de méditation

Asseyez-vous dans une position confortable en prenant soin d'avoir le dos droit, jambes croisées sur un coussin ou, pour plus de confort, sur une chaise. Choisissez un endroit calme, loin du bruit et des distractions visuelles. Une douce musique en arrière-plan pourra favoriser une atmosphère de calme et de légèreté. Posez ce livre devant vous et lisez lentement les lignes qui suivent, en silence, en prenant bien le temps d'expérimenter les idées évoquées.

Pensées pour la méditation

J'imagine que rien n'existe en dehors de la pièce où je me trouve...

Je me sens complètement isolé du monde extérieur et libre d'aller à la découverte de mon monde intérieur...

Je tourne mon attention vers l'intérieur de mon être et concentre l'énergie de mes pensées sur le centre du front...

Je me détache de mon corps et des sons qui m'entourent...

Je prends conscience du calme qui m'environne et m'habite...

Un sentiment de paix m'envahit peu à peu...

Des vagues de paix m'enveloppent, éliminant toute trace de tension et d'agitation dans mon esprit...

Je me concentre sur ce sentiment de paix profonde... uniquement la paix...

Je suis... la paix...

La paix est ma vraie nature...

Mon esprit devient calme et clair...

Je me sens contenté et tranquille... Je renais à ma conscience naturelle de paix...

Je reste là quelques instants, savourant ce sentiment de calme et de sérénité...

Essayez d'entretenir ce genre de pensées environ dix minutes deux fois par jour. Le meilleur moment est le matin avant d'entrer dans vos occupations de la journée. Le soir, après une journée de travail, est également un moment propice. Et durant la journée, dans le feu de l'action, continuez à vous souvenir que :

La paix est ma véritable nature…

Si l'on adopte cette simple pratique de méditation, des pensées positives et calmes naîtront de plus en plus facilement dans l'esprit et la paix y régnera à nouveau de façon naturelle.

Leçon 2

Qui suis-je ?

Voici une question à laquelle il semble facile de répondre. Pourtant, décliner mon identité ou faire une description de mon apparence physique ne traduit pas la kyrielle de pensées, d'humeurs, d'actions ou de réactions qui me composent et constituent ma vie. Même la description de ce que je fais ne précise pas les contours de ce que je suis puisque je porte à chaque instant différents chapeaux. Je commence par exemple la journée en tant que mari ou femme; au travail, je suis secrétaire, commis ou professeur. Le midi, je rencontre une connaissance; et je passe la soirée avec un ami. Lequel de ces rôles correspond à ce que je suis vraiment?

Chaque rôle que je joue révèle et exprime une des facettes de ma personnalité. Il m'arrive même de jouer des rôles différents, voire opposés, au point de ne plus vraiment savoir qui je suis : si je rencontre mon patron dans une fête ou si je suis avec mes parents et que des amis arrivent à l'improviste, je suis troublé, je ne sais plus comment agir. Je n'arrive plus à entretenir avec eux une relation autre que celle d'*employé-patron* ou de *parent-enfant*. En me limitant à un certain comportement envers eux, je les ai cantonnés, eux aussi, à un certain rôle. Je ne sais plus me comporter envers eux en tant que simple être humain. Je suis pourtant conscient que ma véritable identité et le rôle que je joue sont bien distincts. Alors qui suis-je réellement? Qu'est-ce que je pense de moi-même?

Pour le percevoir, j'ai besoin de m'identifier à un élément stable, constant, fidèle. Le matin, je me lève, passe devant le miroir où tout me semble en tout point conforme à ce que j'y ai vu la veille. Mais chacun sait que c'est une illusion puisque, avec le temps, le corps se transforme graduellement; il n'est donc ni stable ni constant.

Dans l'enseignement du Raja Yoga, au lieu de s'identifier à ce qui est évident, visible, c'est-à-dire le corps, on considère la pensée, la conscience comme bases de l'identité, puisque seules les pensées demeurent quel que soit l'âge. Leur contenu peut changer, mais la capacité de penser ne change pas. Je suis avant tout un être qui pense et expérimente. Les pensées ne sont pas physiques et je ne peux en faire l'expérience par les organes des sens : je ne peux voir, toucher ou bien goûter une pensée. Elles ne sont pas générées par la matière ou par les cellules du cerveau. Moi, celui qui pense, je suis un être non physique, un être spirituel. C'est ainsi que l'on décrit ici le *soi* ou l'*âme*.

Ma forme, celle de l'âme, est la seule forme indestructible, si petite qu'elle est indivisible. Elle n'appartient pas à la dimension physique. Moi, l'âme, je suis une source d'énergie lumineuse et de conscience sous forme de point ou d'étoile subtile. Cette énergie consciente est à l'origine de toutes mes pensées, toutes mes paroles, toutes mes actions. Quoi que je fasse ou dise, c'est moi, l'âme, qui accomplis cette action par l'intermédiaire de mon corps. L'âme agit en tant que conducteur d'un véhicule et le corps, comme véhicule. Afin d'accéder à toutes les commandes, le conducteur est installé là où il peut manipuler les instruments de contrôle et rassembler les informations nécessaires à la prise de décisions. Chaque pensée, qui entraîne des paroles et des actions, est déclenchée par une impulsion dans le cerveau. On considère dans le Raja Yoga que l'âme est localisée au centre du front, tout près du cerveau. Elle constitue le point de référence constant sur lequel diriger son attention.

Ainsi, ma faculté de penser ne change pas. Ma véritable identité est l'âme et toutes les autres (professeur, étudiant, homme, femme, père, mère, ami, *etc.*) sont de simples rôles que j'endosse. Un bon acteur est capable de jouer n'importe quel rôle. Il le jouera de son mieux et pourtant il ne se dira jamais : *Je suis Hamlet* ou *Je suis Cléopâtre.* Il sait parfaitement que, même s'il s'est totalement investi dans son rôle, il quittera son costume à la fin de la pièce et reprendra sa propre identité. Ainsi, quel que soit le rôle que je (moi l'âme) joue, je devrais comprendre que ma véritable identité est l'âme, l'être vivant, éternel et spirituel. Le corps n'est rien d'autre qu'un costume physique endossé temporairement.

L'âme possède des qualités intrinsèques. Par la méditation, je peux créer une conscience de moi en tant qu'âme et en faire l'expérience. Toutes ces qualités sont positives et génèrent un état de paix. C'est ce que le Raja Yoga appelle la *conscience d'âme.* C'est une conscience que je peux vivre non pas exclusivement en méditation, mais aussi dans l'action. En devenant de plus en plus conscient de qui agit véritablement, j'acquiers une plus grande maîtrise de mes pensées, de mes paroles et de mes actions. La conscience naturelle de moi-même en tant qu'être de paix imprègne alors mes actions, et le désir de paix dans mon esprit devient une réalité tangible.

Grâce à la méditation, j'appréhende de plus en plus finement ma véritable identité. Je nourris mon esprit de pensées concernant l'âme et ses qualités. Au début, la vitesse à laquelle défilent les pensées importe peu, pourvu qu'elles s'engagent dans la bonne direction. Si mon esprit vagabonde, je le ramène doucement à des pensées sereines. Au fur et à mesure de cette expérience, les pensées ralentissent et je suis bientôt en mesure de les apprécier. Si on m'offre à goûter une spécialité, je la savoure lentement pour apprécier la saveur et la texture de chaque bouchée. De la même façon, j'apprécie progressivement le ressenti de chaque pensée positive. La simple formule *Je suis une âme en paix* devient réalité dès que je commence à y penser.

Il s'agit ici d'une approche de la méditation très différente de la répétition d'un mantra, de la concentration sur une bougie ou sur le rythme de la respiration. Un mantra s'utilise principalement au moment de la méditation. Dans le Raja Yoga, le maintien de la conscience d'âme dans l'accomplissement des actions quotidiennes vient compléter la méditation assise. En maintenant la conscience d'âme, je continue d'avancer vers le but d'acquérir une paix de l'esprit constante. Les pensées puisées en méditation se transposent dans la vie quotidienne. C'est le premier pas et le plus important pour donner à la méditation une forme pratique. Tout en vaquant à mes occupations, je fais l'expérience d'être une âme qui joue un rôle à travers le corps. La conscience se détache du corps. Lorsque je vois un autre être humain, je le regarde au-delà de son nom, son corps, sa race, sa culture, son sexe ou son âge pour voir en lui mon égal, une âme comme moi, qui joue tout simplement son rôle. Cet exercice m'aide à développer la tolérance, la patience ou l'amour, qualités indispensables pour goûter une paix constante.

Par la réalisation et l'expérience de mes qualités intrinsèques, je regagne la confiance en moi et le respect de moi. Je ne suis plus contraint ni attiré par les attentes des autres. En conscience d'âme, je reste dans ma véritable prédisposition à la paix. Cette pratique demande, évidemment, du temps et des efforts qui sont largement récompensés par les bienfaits qu'elle procure.

Exercice de méditation

Choisissez pour méditer le lieu le plus calme à votre disposition, une pièce que vous utilisez rarement et réservez si possible cet endroit exclusivement à la méditation. Si c'est impossible, asseyez-vous de façon à ce que les objets familiers n'attirent pas votre attention. Cette préparation mentale vous aidera à vous concentrer. Commencez par dix à quinze minutes. La durée augmentera naturellement avec l'expérience. Une lumière douce ou tamisée peut favoriser la concentration et un commentaire de méditation guidera, si nécessaire, votre esprit dans une direction positive. (Des cassettes et cédéroms sont disponibles dans les centres de Raja Yoga).

Lorsque votre méditation est terminée, prenez un instant pour réfléchir à ce que vous avez vécu; observez comment votre humeur a changé. Cet exercice mettra en lumière votre expérience et vous aidera à en apprécier les bienfaits. Une autre suggestion : ne méditez pas uniquement lorsque vous en avez envie. Vous verrez qu'un plus grand progrès s'opère lorsque l'on n'a pas vraiment envie de méditer ou que l'on s'en sent incapable, puisque c'est le moment où l'on en a le plus besoin!

Pensées pour la méditation

Ces pensées sont données à titre de suggestions. Vous pouvez créer des pensées du même type dans votre propre vocabulaire si vous préférez. Toute pensée basée sur la conscience de soi en tant qu'âme convient. Ralentissez le rythme de vos pensées et cherchez à faire l'expérience de chacune d'elles avant de passer à la suivante.

Je détourne mon attention de mon corps physique et de mes sens... Je me concentre sur moi-même...

J'écoute grâce à ces oreilles...

Je regarde à travers ces yeux...

Je suis derrière ces yeux... au centre du front... une étincelle d'énergie vivante... éternelle...

Je suis l'énergie de vie qui anime le corps...

Je suis un être non physique... une âme éternelle...

Je suis un acteur...

Ce corps est tout simplement mon costume...

Je concentre mes pensées sur le point au centre du front... un minuscule point de lumière consciente...

Je me sens complètement détaché de ce corps... en paix et léger...

Je suis une étoile rayonnante de lumière...

Je ressens une paix profonde et j'éprouve un profond sentiment de plénitude intérieure…

Je me connais maintenant… une âme pure, éternelle et paisible…

Je plonge dans l'océan de paix…

Tous les conflits sont terminés…

Un silence très, très profond m'habite…

Je suis une âme en paix.

Leçon 3

La conscience d'âme

Pourquoi la pensée *Je suis une âme en paix* est-elle plus bénéfique que la pensée *Je suis un corps?* Dans le chapitre précédent, nous avons vu que cette pensée permet de se détacher du rôle que l'on joue. Il est important de comprendre ce que veut dire le mot *détaché.* Il ne veut pas dire *distant* ou *replié sur soi* au point de s'isoler ou de rompre toute communication avec l'extérieur. Il ne signifie pas non plus observer négligemment tout ce qui se passe. Sa définition est toute simple : avoir conscience d'être un acteur. Je joue mon rôle avec beaucoup d'enthousiasme et d'amour, mais je ne laisse pas les attentes, les soucis et les fardeaux des situations extérieures ou des autres masquer ma compréhension de qui je suis : un être de paix. Le mot le plus souvent utilisé en rapport avec *détaché* est le mot *aimant.* En étant conscient de moi-même en tant qu'âme, je fais l'expérience de mes qualités naturelles. Ainsi le détachement, loin d'être associé à de l'aversion, du rejet ou un manque d'intérêt, se combine à la paix, l'amour, le bonheur...

Comment la conscience d'âme m'aide-t-elle à améliorer mon attitude envers moi-même et les autres? On a souvent l'habitude de se comparer aux autres en croyant savoir ce que sont leurs mérites ou leurs torts. Cela n'engendre souvent que désespoir, autocritique et bien d'autres états d'esprit négatifs. L'expérience de la conscience d'âme me fait réaliser ma propre valeur, mes véritables qualités et ma vraie nature. Je cesse alors de me comparer aux autres ou de critiquer. Il ne s'agit pas d'un sentiment de supériorité, mais d'un sentiment de stabilité : les doutes ont fait place à une solide confiance en soi.

Si je comprends que je suis une âme en paix, je conçois que les autres soient semblables. Dans cette conscience, je peux entrer en relation avec eux d'égal à égal, et porter sur eux un regard fraternel. Je deviens naturel en leur compagnie. Mon aisance les aide à se détendre car ils sentent que je n'attends rien d'eux. En reconnaissant ma parenté spirituelle avec eux, je développe naturellement un amour et un respect profonds pour eux. Je prends conscience que nous faisons ensemble partie d'une famille universelle, partageant un même monde.

Parfois, mes actions vont complètement à l'encontre de cette attitude. Quelqu'un se met en colère contre moi; me sentant menacé, je lui réponds vertement et la conversation s'envenime... Ceci est un reflet de la conscience du corps, c'est-à-dire que, au lieu de voir l'autre comme une âme jouant son rôle, je m'arrête à ce rôle et l'identifie à sa vraie nature.

Si, en revanche, je suis déterminé à voir l'autre comme une âme, ma réaction à la colère sera bien différente. Je la verrai comme un état passager qui n'est pas inhérent à la nature réelle de l'autre personne. Au lieu de réagir moi-même par la colère ou par une attitude défensive, je serai détaché et manifesterai même à son égard de l'indulgence ou de la générosité. Je me placerai naturellement dans la position de donneur pour lui venir en aide. Je reconnaîtrai que sa colère n'est en fait que l'expression de son trouble. Cette attitude positive agira, pour moi, comme un dais de protection; je ne me sentirais plus attaqué; mon calme et ma stabilité pourront même désamorcer la situation.

La conscience d'âme peut aider l'autre de bien des manières tant il est vrai que l'on ne donne que ce que l'on possède. Si des amis viennent à nous désemparés, le moins que nous puissions faire est de compatir à leur cause. Mais si cette attitude est rassurante, elle ne soulage que de façon limitée. Ceux qui traversent des difficultés ont besoin de clarté et de pouvoir. La situation qu'ils vivent a affaibli et troublé leur esprit. Si notre réaction et nos suggestions sont compatissantes mais également empreintes de paix, de pouvoir et d'efficacité, elles leur procureront un réconfort et un soutien précieux dans la résolution de leurs problèmes. Pour leur offrir cela, un esprit fort et clair est nécessaire.

En conscience d'âme, je ne vois que les bons côtés de tous, non seulement leurs qualités apparentes, mais aussi celles qui sont cachées. Cette attitude favorise l'épanouissement de ces qualités.

Exercice de méditation

Méditer, c'est être conscient de ses qualités naturelles. Ce n'est ni un exercice difficile ni une discipline à laquelle s'astreindre. On ne peut se contraindre à méditer. Plus l'on force, plus l'on se concentre, moins on a de chances de vivre de belles expériences. On aura plutôt des maux de tête ! Au lieu de nous détendre et de nous redonner de l'énergie, la *méditation* n'aura fait que créer en nous de la tension. La première étape consiste donc à se détendre, même si l'on considère souvent comme un exploit le simple fait de se relâcher à volonté. On commence donc par se détendre car, une fois détendu, les soucis et le stress du quotidien s'estompent puis s'évacuent. L'esprit est alors libre d'explorer des idées agréables. Plus je suis détendu, plus il m'est facile d'accéder à un niveau puissant de méditation où je peux apprécier le calme qui émane de tout mon être.

Au fil du temps, la méditation devient beaucoup plus qu'une simple technique de relaxation. L'expérience de la paix obtenue par la simple détente n'est qu'une goutte de l'océan de paix dans lequel on peut plonger grâce à la méditation…

Les thèmes de méditation doivent demeurer très simples; deux ou trois pensées, choisies avec soin, suffisent. Je les répète lentement, en me donnant suffisamment de temps pour explorer les sentiments et émotions qu'elles font naître en moi.

Mon monde est la création de mon propre esprit. C'est la raison pour laquelle je nourris mon esprit de la conscience d'âme. Penser, par exemple, à la paix m'aidera à en faire l'expérience. En m'absorbant de plus en plus dans de telles pensées, je lâche prise par rapport aux préoccupations matérielles et me débarrasse de toute tension pour devenir libre et léger…

Je m'installe tranquillement... Je sens mon corps se détendre...

Je laisse partir toutes les tensions... Je me concentre sur mon être intérieur...

Je reprends conscience de mon identité éternelle... Je me visualise...

Je suis un point de lumière... une étoile étincelante, rayonnante...

Je me concentre sur cette conscience... J'éprouve un profond détachement vis-à-vis de mon corps et, dans le même temps, je me sens empli d'amour...

Je suis... le maître de ce corps... je suis différent de lui...

Pendant un moment, mes pensées plongent profondément dans ce point d'éternité...

Moi... l'être éternel... sans commencement ni fin... je touche l'éternité... Je... suis... paix...

Je suis maintenant devenu conscient de l'âme, conscient de ma vraie nature. C'est cette légèreté de la conscience que je veux intégrer dans ma vie de tous les jours afin de surmonter facilement et efficacement les problèmes ou les obstacles qui se présentent à moi, de quelque nature qu'ils soient.

Pensées pour la méditation

Au cours des prochains jours, choisissez deux ou trois pensées ou thèmes très simples, tels que :

Je suis une âme en paix…

Je suis un être de lumière et d'amour, et je transmets cette énergie aux autres et au monde…

Je suis un point de conscience subtil, totalement différent de ce corps physique.

Répétez-vous ces pensées jusqu'à ce qu'elles imprègnent vos sentiments. Cette pratique mettra fin aux tensions dues au décalage entre ce que nous pensons devoir faire et ce que nous faisons effectivement. L'âme ressentira contentement et plénitude. Exercez-vous également à voir les autres comme des âmes, au-delà de leur rôle, à ne voir que l'acteur qui joue son rôle.

Leçon 4

Ce que l'on appelle l'esprit

Assis dans le silence, on peut aisément faire l'expérience de la paix. Mais pour utiliser cette expérience dans la transformation de sa vie, il faut franchir le fameux pas entre intention et action. On se surprend parfois à dire : *Je ne voulais pas faire ceci mais...* ou *Désolé, je n'avais pas l'intention de dire cela...* Accumuler des connaissances ne suffit pas pour posséder la pleine maîtrise de sa vie. Il faut pouvoir comprendre par quel processus une intention devient une action.

On trouve dans une usine de fabrication d'automobiles toutes sortes de matériaux bruts : des feuilles de métal, des écrous, des boulons, du fil électrique, de la peinture, etc. Leur séjour à l'usine permet leur transformation sous forme de voiture. Supposons qu'une erreur se répète dans le processus de fabrication. On peut alors décider de réparer chaque voiture à la sortie de la chaîne de production. Ceci demanderait du temps, représenterait un travail fastidieux et serait probablement insatisfaisant puisque l'usine n'a pas pour but de produire des voitures défectueuses.

Ces matériaux peuvent se comparer à mes expériences du passé et à mes intentions. Modifier superficiellement mes actions n'apportera pas de changement profond dans ma vie. Je peux toujours le faire, mais je continuerai à être confronté à des actions erronées provenant de la *chaîne de production*; elles deviendront un fardeau lourd à porter sans présenter de réels avantages. Ne vaut-il pas mieux vérifier les *matériaux bruts* de mes expériences et me familiariser avec le *procédé de fabrication* de mes aspirations et de mes actions?

Pour réparer une erreur, l'ingénieur ne peut se contenter de connaître une partie du fonctionnement de l'usine. Il doit le connaître dans ses moindres détails car plus il comprend le mécanisme, mieux il peut identifier la panne et la réparer. De même, plus je comprends mon fonctionnement intérieur, plus il m'est facile d'éliminer les actions indésirables. Par la méditation, je vérifie mes *matériaux bruts*, m'assure qu'aucun ne manque et que seuls ceux de la meilleure qualité sont utilisés.

Franchir le pas entre intention et action est illustrer ce processus. Le facteur primordial qui intervient entre intention et action est la pensée. Les pensées sont créées par l'esprit. Dans le Raja Yoga, on conçoit l'esprit non pas comme quelque chose de physique, mais comme une faculté métaphysique de l'âme. Grâce à l'esprit, j'imagine, je pense et je crée des idées. Ce processus de la pensée est la base de mes émotions, de mes désirs et de mes sensations. C'est grâce à cette faculté qu'en un instant je peux revivre une expérience passée, générer du bonheur, de la peine, ou me projeter à l'autre bout du monde.

Il suffit, par exemple, de se dire *Je veux une tasse de thé* pour que l'action correspondante soit mise en œuvre automatiquement. Mais les pensées sont-elles le seul lien entre intention et action? Qu'en est-il dans l'expression *réfléchir avant d'agir*? La pensée naît forcément avant la parole. Elle comporte deux aspects : la pensée elle-même et la conscience, la compréhension, de cette pensée. C'est l'intellect qui est utilisé pour comprendre les pensées. Entendez ici la deuxième faculté de l'âme, celle qui permet d'estimer la valeur des pensées. *Réfléchir avant d'agir* signifie donc utiliser son intellect pour déterminer si ces pensées valent la peine d'être mises en action. L'intellect sert aussi à raisonner, à comprendre, à discerner, à juger et à prendre des décisions.

En règle générale on se préoccupe assez peu de ce qui se passe dans son esprit. Mais ici, pendant quelques instants, nous vous proposons de ralentir, de faire pratiquement cesser votre activité extérieure afin de pouvoir observer votre activité intérieure, celle de vos pensées.

En me tournant vers l'intérieur, je remarque combien mes pensées sont conscientes des bruits extérieurs... comment elles enregistrent les souvenirs de ce qui s'est passé ce matin, ou hier...

Je constate que des images de ce que j'ai vécu occupent mon esprit, et je vois l'impact des gens que j'ai rencontrés, des choses que j'ai entendues, des sentiments et des humeurs de ceux qui m'ont entouré... Comment mon esprit a été influencé par tout cela...

Pour un instant, je reprends mon esprit en main... Je crée, sur l'écran de mon esprit, l'image d'un point de lumière... puis une pensée de paix...

Je retiens cette pensée... elle devient progressivement plus qu'une pensée de paix... elle devient un sentiment de paix...

Un sentiment réconfortant… qui me donne de la force… et qui reste en moi tandis que je retourne à mes occupations.

L'intellect est une faculté primordiale de l'âme; grâce à lui, je maîtrise mon esprit et donc moi-même. Le but de la méditation du Raja Yoga est d'emplir l'intellect de pouvoir pour rendre perspicace, clarifier l'esprit, développer la détermination. Le rôle de l'intellect est clairement identifiable. Quelqu'un m'explique par exemple quelque chose que je n'arrive pas à comprendre. Il tente de m'expliquer de deux ou trois façons différentes, mais je ne comprends toujours pas. La cinquième fois, la *lumière se fait*, je comprends ce qu'il veut dire. Cette compréhension est le travail de l'intellect. On pourrait prendre comme autre exemple le processus qui me guide dans un choix face à deux ou trois possibilités. Je (l'intellect) soupèse les avantages et les inconvénients jusqu'à ce que mon jugement m'indique le choix le plus approprié.

Comme l'esprit, l'intellect est de nature subtile, non physique. Il appartient à l'âme, non au corps.

Dans l'exercice des fonctions de l'intellect, trouver la réponse à la question *Qui suis-je?* est la réalisation la plus importante.

Je prends conscience de ma forme éternelle, ma forme de lumière…

Moi, l'être spirituel, je redeviens le maître…

Le maître de mon corps physique… et le maître de mon esprit…

Je ressens les possibilités illimitées de mon esprit... en tant que maître de mon esprit, je dirige cette énergie illimitée sur la voie de la paix...

Je concentre mes pensées sur la paix et la vérité... mon esprit crée la paix...

Je suis un point de lumière... je comprends où mes pensées s'orientent... La destination est la paix... Le chemin est la paix...

Par le pouvoir de mon esprit ainsi canalisé, je diffuse la paix dans le monde... Je garde l'esprit orienté dans cette direction, celle de la paix et de la vérité.

L'âme possède une troisième faculté, celle d'enregistrer les empreintes laissées par les actions accomplies. Le mot sanskrit *sanskaras*, qui n'a pas de traduction simple, peut désigner ces impressions, ces empreintes. Les habitudes, les tendances émotives, le tempérament et les traits de caractère sont façonnés par les sanskaras qui s'impriment dans l'âme à chaque action accomplie. Les sanskaras créent la personnalité, de la même manière que les images d'un film mises bout à bout constituent une histoire. Chaque action, geste, parole ou même pensée, est enregistrée. En menant ma vie, je laisse une impression sur la pellicule, l'âme. Toutes les pensées qui me viennent à l'esprit sont à leur tour influencées par mes sanskaras.

L'esprit, l'intellect et les empreintes accumulées fonctionnent ensemble selon un cycle intérieur; ils déterminent mes comportements, mes pensées et même mes humeurs. En premier lieu, l'esprit produit des pensées, une piste que l'intellect explore et jauge. À partir de ce jugement, une action est accomplie ou non. L'action ou la non-action crée, atténue ou renforce un sanskara, une empreinte, qui, à son tour, influencera l'esprit.

Pour bien illustrer ce processus, regardons comment se forme l'habitude de fumer. La première fois qu'on m'offre une cigarette, beaucoup de pensées pour ou contre la cigarette me viennent à l'esprit : *C'est mauvais pour ma santé. Je me demande quel goût ça peut bien avoir. Attention, on s'y habitue vite. Tout le monde le fait, etc.* À partir de ces pensées, l'intellect prend une décision. Supposons qu'il décide de goûter la cigarette. Un sanskara est créé par cette action et, la prochaine fois qu'on m'offrira une cigarette, cette action deviendra une justification dans mon esprit : *J'en ai déjà fumé une…* Si je décide d'en reprendre une, la répétition renforce ce sanskara, comme lorsqu'on creuse une rainure dans du bois. Au fur et à mesure, l'idée devient tellement irréfutable qu'il n'y a plus aucune raison de ne pas fumer. L'intellect s'est à ce stade beaucoup affaibli. On peut même parler de dysfonctionnement. Il n'a plus le choix; il n'a plus de jugement à porter. L'esprit n'émet plus que cette seule pensée : *Prends une cigarette!* Et je la prends automatiquement. Je ne maîtrise plus rien. Mes actions passées, sous la forme de sanskaras, gouvernent mon présent.

Je peux donc de la même façon utiliser ce mécanisme pour créer des sanskaras positifs empreints de sérénité. La méditation, en me procurant l'expérience d'être une âme en paix, en est le meilleur exemple. Cette expérience forme un sanskara. La prochaine fois que je serai sur le point de me mettre en colère, grâce à cette habitude, l'esprit avancera la preuve du contraire : *Je suis une âme en paix.* Ce qui incitera l'intellect à prendre une autre décision, celle de ne pas se mettre en colère. Au fur et à mesure, la méditation renforcera le pouvoir de décision de l'intellect. Il sera de plus en plus facile d'utiliser les empreintes de paix au détriment des mémoires négatives.

L'intellect recouvre ainsi peu à peu la maîtrise de l'esprit et de l'action. Moi, l'âme, je redeviens le maître de mon présent. Je ne suis plus esclave de mon passé. Progressivement, j'en arrive à choisir de ne mettre en action que les pensées qui me font vivre une expérience constante de bonheur et de contentement…

Exercice de méditation

Choisissez un aspect de votre personnalité que vous désirez changer. À plusieurs reprises durant la journée, créez une ou deux pensées positives qui vous aideront à changer cette habitude ou ce trait de caractère négatif. Faites cet exercice avec autant d'énergie et d'enthousiasme que possible. Vous créerez ainsi un sanskara très puissant. Lorsque cette pensée positive de changement vous reviendra à l'esprit, vous serez envahi d'enthousiasme. Vous n'aurez plus de difficulté à traduire votre intention en action le moment venu. Si par exemple vous souhaitez perdre l'habitude de critiquer, créez durant la journée ce genre de pensées positives :

Je vois tout le monde comme des âmes en paix. Au lieu de critiquer leurs faiblesses, je ne vois que leurs qualités et leurs spécialités.

ou

Je ferais mieux d'éliminer mes propres faiblesses au lieu de critiquer les leurs…

Leçon 5

Maintenir l'équilibre

L'équilibre est un élément prépondérant dans la recherche d'une paix constante de l'esprit. Si une voiture est trop chargée d'un côté, le conducteur a du mal à la manœuvrer; les pneus ou la suspension s'en ressentent. On peut de la même façon être en déséquilibre si l'on accorde trop d'attention à la méditation ou à l'introversion et que l'on néglige les relations avec son entourage. On se renferme sur soi-même, on vit dans sa bulle, en dehors des réalités; on a de plus en plus de difficultés à vivre en société.

Pour éviter un tel déséquilibre, on peut garder à l'esprit les quatre aspects suivants : *savoir*, *être*, *devenir* et *donner*. En accordant à chacun d'eux une attention... équilibrée, on progressera avec naturel et facilité.

• SAVOIR - Comprendre la connaissance.

Les fondements sont ceux exposés précédemment : je suis une âme, ma véritable nature est la paix; j'ai un esprit, un intellect et des sanskaras. Je dois maintenant les intégrer. Ces réalités sont comme les pièces d'un puzzle : chaque pièce contient une partie de l'image complète et ne peut qu'en donner un aperçu. Ce n'est qu'une fois qu'elles sont toutes à leur place que l'image globale se révèle. De la même façon, en tournant dans mon esprit l'information, en jonglant avec elle, en l'appliquant à ma vie, je commence à créer une vue d'ensemble cohérente. Dès lors, je commence à me sentir maître de moi; mon intellect reste clair et je suis apte à agir positivement, de manière efficace. La connaissance me permet ainsi de me détacher des situations susceptibles d'être stressantes.

Que sais-je maintenant? Je sais que mes mains, mes pieds, mes bras, mes jambes font simplement partie de mon corps... Ils ne sont pas moi... Mon corps entier n'est pas moi... Il est mon instrument, mon véhicule...

Mais qui suis-je, moi, le responsable de cet instrument? Je comprends maintenant comment moi, le point d'énergie, le point de lumière qui vit à l'intérieur, j'utilise cet instrument...

Moi, l'âme, je regarde à travers ces yeux... Moi, l'âme, je reçois l'information qui me parvient par ces yeux... Moi, l'âme, je décide de communiquer et j'utilise cette bouche... Je suis celui qui décide de ce que je veux communiquer...

Moi, l'être de lumière, j'ai la capacité de décider, de choisir quelle information j'écoute avec ces oreilles...

Je suis le maître de cet instrument physique... Je maîtrise bien la situation...

Je sais... qui... je suis...

• ÊTRE - Faire l'expérience de la méditation : le yoga.

Même si je peux établir des liens logiques entre tous ces éléments d'information, je ne peux affirmer en avoir réellement saisi toute la portée. Je peux par exemple apprendre des phrases en hongrois et être en mesure de les répéter correctement, mais si personne ne m'en a expliqué le sens, elles ne me seront d'aucune utilité.

Comment comprendre par exemple le sens des mots *paix*, *amour*, *âme*, *détachement*? Je ne peux saisir ces concepts qu'en en faisant l'expérience. L'expérience de la paix fait de la paix une réalité sur laquelle reposent la confiance et la foi. Quand le concept et l'expérience se rejoignent, l'âme se sent en sécurité. L'expérience pratique de la connaissance que nous avons reçue confirme cette connaissance et incite à prendre confiance; par cette confiance et le sentiment de vivre dans la vérité se construit au fond de moi une solide fondation.

Je me détache et je plonge en moi... Je prends conscience de l'être que je suis... Je redécouvre mon état d'être originel...

En mon être, dans mon état originel, résident la propreté... la pureté...

J'ai accumulé de la poussière au cours de mon voyage, mais quand je l'ai commencé, j'étais propre... pur...

Au fur et à mesure que la poussière disparaît et que cet état pur et propre reprend ses droits, je peux sentir à nouveau la paix...

La paix est mon état naturel... La paix est mon identité...

Dans cet état de pureté... et de paix... je redécouvre l'amour qui sommeille en moi... l'amour altruiste... fraternel...

l'amour pour moi-même... et pour chaque membre de ma famille humaine... l'amour pour l'Être suprême...

La pureté, la paix, l'amour et la joie... sont mes qualités naturelles, ma véritable nature.

• DEVENIR - Appliquer dans les actions.

Au paragraphe précédent, nous avons mis l'accent sur l'harmonie entre connaissance et expérience. Toute contradiction entre les deux fait disparaître la confiance et la stabilité. Ainsi, l'harmonie entre ce qui se passe en moi, dans la pensée, et ce qui se passe à l'extérieur, dans l'action, est essentielle. S'asseoir en méditation et faire l'expérience d'être en paix pour se mettre en colère immédiatement après enlève tout son sens à l'expérience de paix. L'âme se sent alors perturbée. Les fruits de la méditation doivent se manifester concrètement. Son pouvoir positif doit se refléter dans l'action. Je dois devenir concrètement ce dont je fais l'expérience en méditation.

Mettre en pratique les fruits de la méditation n'arrive pas par miracle, sans qu'on y accorde de l'attention. C'est un processus conscient. On peut aisément le comprendre en observant le processus cyclique par lequel l'âme passe pour accomplir une action, c'est-à-dire le cycle esprit - intellect - sanskaras. Même si je crée des sanskaras de paix en méditation, les anciennes mémoires d'agitation continuent de générer des pensées négatives, parfois même avec beaucoup d'intensité. Seul un choix conscient de l'intellect me permettra de changer mon comportement.

Il est important de comprendre que je ne progresserai jamais sans faire l'effort conscient de changer mes actions et mes habitudes négatives. Peu importe la qualité de mes expériences en méditation si elles sont constamment contredites par mes actions. Je continuerai toujours d'entretenir des pensées négatives à mon égard; mon esprit sera comme un champ de bataille au lieu d'être un havre de paix.

Je fais le voyage de retour vers mon état originel, quand j'étais pur, propre, sans défaut, sans tache…

Dans cet état de propreté, je connaissais le confort… la paix…

Durant mon voyage, j'ai accumulé beaucoup de saleté… de poussière…

Maintenant, je me débarrasse de ce qui ne m'appartient pas… Je redeviens ce que j'étais, ce que je suis, ma vraie nature…

Je me relie à ma véritable forme originelle… et dans cette conscience… j'agis… J'incarne totalement cette conscience, ici et maintenant…

La pureté, la paix et l'amour revivent en moi… Je les laisse refaire surface…

Je deviens clair et propre.

- DONNER - Maintenir des relations altruistes et harmonieuses.

Si le fait d'être plus paisible favorise de façon évidente mes relations avec les autres, je dois tout de même rester vigilant. C'est souvent dans ce domaine que se déclenchent en moi les plus belles tempêtes. Il est facile de se montrer amical et généreux avec des gens qui le sont. Mais aujourd'hui les conflits ne manquent pas, qu'ils soient simple irritation ou hostilité manifeste. En de telles circonstances, l'attitude qui consiste à donner agit sur moi comme un dais de protection : elle me protège de la négativité et procure à l'âme qui a l'infortune de se montrer agressive un bénéfice certain. Répandre la paix veut dire ne laisser aucune place à la peur, au ressentiment ou à la colère.

De telles situations sont des épreuves auxquelles je suis inévitablement confronté. Ma façon d'y réagir m'éclaire sur mes progrès. J'ai gagné si je constate que j'ai vraiment appliqué dans cette situation l'aspect des enseignements correspondant. Si je me fâche, ma volonté de réussir la prochaine fois m'incitera sans doute à approfondir la connaissance. Parfois, je peux mieux aider les autres en leur racontant mes propres expériences. En parler avec mon propre vocabulaire me permettra alors de constater mon degré de réalisation. Chaque fois que je me replonge dans la connaissance, je fais un pas de plus. Le progrès s'effectue ainsi naturellement.

Je devrais être capable de donner sans attendre de retour ou de récompense, selon un processus naturel uniquement motivé par le souhait de partager les expériences positives que j'ai assimilées. Les récompenses naturelles de mes actions positives seront le bonheur et le contentement. Sans attente ni désir, le don porte vraiment le nom d'altruiste. Progressivement, les fruits de la connaissance et de la méditation feront tellement partie de moi que rien qu'en en parlant j'inspirerai les autres à faire des expériences similaires.

Conscient de mon état originel, je permets à mes trésors originels de pureté, de paix et d'amour de refaire surface...

De façon toute naturelle, je transmets au monde ce que je suis et ce que j'ai...

Dans cette conscience de mes trésors éternels, je propage de bons sentiments... des sentiments purs... pour chaque membre de ma famille humaine...

Je rayonne de pureté... Je suis un être de paix...

Mes pensées... mes vibrations... de paix... se propagent dans l'univers...

Je contribue à créer un monde de paix en offrant à tous mes pensées de paix...

Je suis un être d'amour... Je ressens en moi une chaleur irradiante... une chaleur qui réconforte, soutient et emplit les autres de pouvoir ...

Cet amour n'est pas fait de possession ou d'attachement... ce n'est pas un amour qui me lie à une ou deux personnes... C'est un amour qui accueille, qui relie au monde entier...

Je donne... l'amour pur... à ma famille de la terre entière...

Lorsque ces quatre aspects, *savoir, être, devenir* et *donner,* sont équilibrés, l'âme est en paix avec elle-même et en harmonie avec le reste du monde. Cette application pratique du niveau de conscience d'âme est définie en hindi par les mots *jeevan mukt* qui signifient *libéré dans la vie.*

Exercice de méditation

Ralentissez un peu, donnez-vous du temps pour réfléchir avant d'agir. Offrez-vous l'opportunité de mettre vos nouveaux sanskaras en pratique. Donnez-vous la permission de prendre du temps pour la pratique. Dès que vous avez un moment de libre, profitez-en pour exercer votre concentration. Des instants de méditation, courts mais réguliers, augmenteront les bienfaits de vos expériences. Naturellement, avec le temps, ces courts instants se prolongeront et le bénéfice n'en sera que plus sensible.

Commencez par vous exercer à observer vos propres pensées. Parlez-vous ainsi : *Moi, l'âme, je suis comme au cinéma, je regarde mes pensées apparaître sur l'écran de mon esprit*... Quand vous les observez, elles ralentissent. Faites le tri dans vos pensées, discernez les positives, les négatives, les inutiles... Faites renaître en vous les meilleures pensées, laissez-les vous guider dans leur expérimentation.

Si votre esprit semble encore trop actif ou même négatif, concentrez-vous sur la pensée fondamentale : *Je suis une âme en paix.* Observez la direction que prennent vos pensées à l'évocation de ce point de départ positif. Parfois, l'esprit ira naturellement dans un sens positif dès que vous vous installerez en méditation; à d'autres moments, vous devrez le diriger et l'encourager afin de lui éviter les écueils de pensées et d'émotions négatives.

Leçon 6

Le Karma

Lorsque je m'identifiais complètement à mon corps, je ne percevais pas combien chaque action avait d'impact sur moi. Maintenant, grâce à la découverte que je suis une âme, je comprends que chaque action laisse en moi une empreinte, une marque que je porte en moi éternellement.

De tout temps, il a semblé très difficile de distinguer précisément le bien du mal. Au cours de l'histoire, notre définition de ces deux concepts a souvent varié. Chaque culture, chaque religion en donne des définitions différentes. Même au sein d'une religion ces notions peuvent différer d'une génération à l'autre. À mon simple niveau personnel, la compréhension de ces deux notions n'a-t-elle pas fréquemment changé, selon mon âge ou mon expérience de la vie?

Influencé par l'atmosphère et par les idées des autres, mon intellect n'est pas toujours très sûr de son propre jugement. Suis-je capable de dire, en toute sincérité, que je sais toujours ce qui est bien ou mal? Tant que je m'identifie un tant soit peu à mon enveloppe physique, ma religion, mon sexe, mon âge ou ma culture, ces influences continuent à colorer mes idées, mes pensées et mon jugement. Si je reste conscient de ma véritable identité, une âme en paix, je suis en mesure de comprendre plus précisément ce qui est bien et ce qui est mal pour moi. En *conscience d'âme*, je ne peux que faire l'expérience de la paix, du bonheur et de l'amour. Je ne peux donc accomplir que des actions fondées sur ces qualités. Ces actions sont automatiquement bénéfiques et donnent un résultat positif. La *conscience du corps*, ou fausse identité, empêche que l'action soit motivée par des intentions complètement pures. On agit poussé par des motifs tels que l'avidité, l'ego ou la possessivité. Les conséquences sont souvent négatives : provoquer ou ressentir de la peine etc.

Plus que l'action elle-même, c'est le niveau de conscience avec lequel on agit qui importe. La *loi du karma*, de l'action et de la réaction, stipule que chaque action (karma) donne lieu à une réaction égale et opposée. Quelle que soit la nature de nos interactions avec les autres, nous en recevons le retour avec la même intensité : si j'ai donné du bonheur, je recevrai du bonheur; si j'ai causé de la peine, je recevrai de la peine. La loi est simple et, saisie dans toute sa profondeur, elle permet une nouvelle lecture des événements de ma vie et du monde. Les Chrétiens connaissent bien cette loi, aussi appelée *loi de cause à effet*, comme le rappelle l'expression : *Tu récolteras ce que tu as semé.*

À la lumière de cette loi, je comprends qu'à certains effets sont associées certaines causes. Le karma, l'action, est la cause, et le fruit du karma est l'effet. En récoltant les fruits de mon karma, j'ai souvent tendance à oublier ma part de responsabilité. Si le fruit est plutôt amer, il m'arrive de blâmer les autres pour cette souffrance. Si la souffrance est effectivement mon expérience du moment, je dois pourtant comprendre que j'en suis probablement responsable. La compréhension de la loi du karma me responsabilise complètement : je suis responsable de ma situation, de mon état d'esprit et, en fait, de ma vie entière. Je dois cependant veiller à ne pas tomber dans le piège de la culpabilité.

Bien souvent, la loi du karma n'est comprise que partiellement, ce qui entraîne un comportement fataliste. On se dit alors : *Ce qui m'arrive maintenant est le résultat de mes actions passées; je ne peux donc rien y faire. C'est mon destin.* La compréhension de la loi du karma et de ma part de responsabilité dans la situation que je vis m'aide au contraire à développer des qualités telles que la tolérance, l'acceptation et la persévérance. Cependant, l'autre facette de la loi du karma enseigne qu'en réalité, je ne subis pas mon destin, mais que je le crée : si je choisis d'accomplir des actions pures et bénéfiques, je peux me créer un avenir positif. Ce sont de nouvelles graines que je sème, dont je récolterai plus tard les fruits. Par l'exemple de mes actions bénéfiques, j'inspirerai probablement d'autres personnes à créer pour elles-mêmes une destinée positive.

Toute négativité du passé a entraîné une *dette karmique* envers ceux qui m'entourent. Là où par le passé j'ai causé de la peine, je dois m'acquitter de cette dette en donnant du bonheur. Les *comptes karmiques* doivent être réglés. Cependant, le fait de changer d'attitude n'entraînera pas forcément chez l'autre un changement. Si je continue courageusement à entretenir de bons souhaits et à agir de façon pure dans mes relations, je solderai progressivement les comptes karmiques accumulés au fur et à mesure de mes actions négatives. Je serai alors libéré des *liens du karma.*

La méditation, ou yoga, me confère le pouvoir de persévérer dans mes efforts pour régler le karma du passé. Une compréhension accrue de ma véritable nature m'aide à concevoir qu'elle est aussi la nature profonde de l'autre. Je peux dépasser le masque de négativité et établir des rapports directement avec l'âme, évitant ainsi de créer un nouveau karma négatif.

Moi… l'âme… j'ai accompli du karma par l'intermédiaire de mon enveloppe corporelle … Je porte les empreintes de ce karma, bonnes ou mauvaises… J'ai pu observer les effets de mon karma dans le monde qui m'entoure…

Maintenant, je prends conscience de mon état éternel… un état dans lequel je suis libre de tout lien karmique…

C'est l'état que je veux retrouver… cet état de liberté… dans lequel j'ai réglé toutes mes dettes karmiques et me suis créé une réserve de karma positif…

Dans cette conscience de moi-même, l'être éternel, je regarde mon passé et j'y vois les fils entremêlés du karma…

Où cela a-t-il commencé? Où cela a-t-il fini? Les fils sont tellement enchevêtrés… Il est difficile de les dénouer…

Maintenant, ici, je me détache de mon karma passé…

Je ne souhaite plus agir que de façon élevée et noble… afin que mon présent soit empli de lumière et de pouvoir… un avenir de bonheur et d'amour.

En adoptant la conscience d'âme, je suis naturellement enclin à aimer et à respecter les autres. Je reçois amour et respect en retour. Chaque action accomplie en conscience d'âme procure un bénéfice à soi et aux autres. Le karma commence dans l'esprit sous forme de pensée, la graine de l'action. Le résultat sera conforme à la pensée émise. Les pensées, comme les actions, propagent des vibrations qui influencent l'atmosphère. Ces vibrations donnent lieu à un retour karmique. Des pensées pures, de paix et de bonheur, constituent le trésor le plus précieux de la vie. Si je garde de telles pensées bénéfiques dans ma conscience, je crée, où que je sois, une atmosphère pure emplie de paix, de bonheur et de bienfaits.

Si je comprends les conséquences de mes actions, je veille à agir de façon juste. Un manque de maîtrise dans mes actions indique très clairement une lacune au niveau de la maîtrise de l'esprit.

En faisant un lien avec la leçon précédente, on comprend que si je ralentis un peu, je me donne plus de temps pour faire les choses correctement. Un travail bien fait laisse l'esprit en paix car il a moins de chances de devenir source de problèmes dans le futur. Un travail vite fait comporte des erreurs qu'il faudra fatalement corriger, ce qui donnera encore plus de travail et attirera continuellement mon attention. Bien me concentrer sur ce que j'ai à faire maintenant permet de maîtriser parfaitement mon esprit et mon corps. Je continue d'agir en conscience d'âme afin de pouvoir rester léger et en paix dans tout ce que j'ai à accomplir.

Exercice de méditation

Répartissez en deux ou trois périodes dans la journée votre temps de méditation assise.

Choisissez trois thèmes de méditation ou trois qualités positives qui se marient bien, telles que stabilité, silence et pouvoir; légèreté, paix et contentement...

Traitez chaque thème séparément, en créant des pensées qui vous conduisent à expérimenter chaque qualité. Assurez-vous d'avoir fait l'expérience de la première qualité avant de passer à la seconde, et de la seconde avant de passer à la troisième. Vous vous acheminerez ainsi doucement vers des expériences de méditation de plus en plus puissantes tout en approfondissant ces qualités et sentiments positifs.

Leçon 7

L’Être suprême

De tout temps, l'homme a été en quête mais toujours sont venues en priorité les quêtes du bonheur et d'une relation parfaite. Si l'un ou l'autre de ces objectifs est parfois atteint, c'est souvent temporaire alors que nous aimerions que ce soit permanent. C'est sans doute possible au delà d'acquisitions limitées telles que les biens, l'argent ou les relations humaines éphémères.

L'expression Raja Yoga a deux sens : *yoga souverain*, qui me rend souverain, maître de moi-même, et *union suprême* ou *union avec l'Être suprême.* Cette seconde facette du Raja Yoga implique de forger une relation avec l'Être suprême, la Source de toute perfection, Dieu. Dans ce yoga, cette union, l'âme peut combler toutes ses quêtes de bonheur intérieur ou de relation parfaite.

Il n'est même pas nécessaire de croire en Dieu au départ. Il s'agit simplement de rester ouvert à l'idée de l'existence éventuelle d'une source d'énergie spirituelle plus élevée que moi. La méditation permet de développer une meilleure compréhension de ce concept et d'en faire l'expérience. Si on me demandait *Connais-tu Monsieur X?*, j'aurais envie de le rencontrer avant de me prononcer. Je garderais pourtant l'esprit ouvert. De même pour le concept d'Énergie spirituelle suprême, on ne saurait se prononcer sans en avoir fait une expérience directe. Pour entrer en contact avec l'Être suprême, il faut d'abord connaître sa forme afin de pouvoir le reconnaître. Il faut ensuite savoir quel *langage* utiliser pour communiquer avec Lui et, enfin, savoir où Le rencontrer.

Le Raja Yoga propose une idée précise de la forme de l'âme, et de celle de l'Être suprême. L'Être suprême est ici considéré comme l'Âme suprême. Sa forme est donc identique à celle de l'âme humaine : un point source de conscience, une étincelle d'énergie lumineuse.

L'emploi du mot *il* pour désigner l'Être suprême ne sous-entend pas qu'on le considère masculin puisque, contrairement au corps, l'âme n'a pas de genre. Si l'âme humaine prend un corps, l'Âme suprême, elle, n'en prend jamais; elle n'est donc ni masculine ni féminine.

Dieu ne s'incarne jamais. Il n'oublie donc jamais ses qualités originelles. Il demeure éternellement paisible, puissant et bienheureux. Pour les âmes humaines, l'expérience des qualités originelles est limitée dans le temps.

Dieu est éternellement un océan illimité de qualités. Il est toujours empli. Il n'a donc besoin de rien. Aussi est-Il fondamentalement bienveillant et donne constamment. Il est le seul être vraiment altruiste. Les êtres humains attendent naturellement quelque chose en retour de leurs actes, ne serait-ce que le plaisir de donner. Dieu donne sans aucune attente de retour.

On parle souvent de Dieu le Père, ce qui peut évoquer l'image d'un père qui donne un héritage à ses enfants. Ici, l'héritage reçu est la paix, l'amour, la connaissance, le bonheur… L'Être suprême est aussi la Mère, l'Ami et le Bien-aimé… Quelle que soit la relation que je souhaite entretenir ou développer, quel que soit le rôle que j'ai envie de jouer avec Lui, c'est possible car Il est Océan illimité de toutes les qualités, masculines et féminines. Aussi, peu importe la situation, j'ai toujours une source d'aide et de force à laquelle puiser, une source à laquelle il suffit de penser pour y accéder.

Comment communiquer avec cet être? Méditer, c'est expérimenter qui je suis et retrouver mes qualités véritables. Je crée des pensées de paix afin d'en faire l'expérience. Mais plus je suis absorbé dans la paix, moins j'ai besoin d'y penser. La communication avec l'Être suprême se fait de cette façon. Je parviens à Le connaître par l'expérience que je fais de Ses qualités. Je commence à sentir que Ses qualités se manifestent autour de moi. Ma communion avec Dieu se fait tout d'abord par l'expérience du silence. Dans le silence profond, je peux me fondre dans l'Océan de paix. Par cette expérience, je me sens renouvelé. Je commence à comprendre le sens profond de mes propres qualités et spécialités et cela me redonne confiance en moi. Je puise dans cet échange l'énergie et le pouvoir de conserver un niveau paisible dans mon quotidien.

Dans la conscience de mon identité éternelle… moi, l'âme, je deviens consciente de ma relation éternelle… non seulement avec toutes les âmes humaines qui m'entourent, mais aussi avec un Être unique et différent, l'Être suprême…

Une Âme… un Être de lumière… infinitésimal… Pourtant, il émane de ce point de lumière une paix infinie, un amour infini, une joie infinie…

Conscient de mon niveau originel de paix... je peux me mettre à son diapason, être en harmonie avec Lui... et m'unir à l'Océan de paix...

Les vagues de paix de l'Océan de paix me submergent... une paix emplie de douceur... une paix emplie de force...

Moi, l'enfant de l'Énergie suprême, je le vois comme mon Parent éternel... qui donne un amour constant, un soutien constant et une protection constante...

Il est mon Père et ma Mère... Il prend constamment soin de moi, m'aide et me guide... Il est l'Océan illimité d'amour...

Il est le Donneur, l'Absolu, Celui qui donne constamment sans attente de retour...

Il est bienveillant, le Bienfaiteur suprême...

Par mes pensées, je reste uni à Lui... je me baigne dans cet Océan et me recharge à son contact... Je retrouve ma nature originelle de paix, d'amour et de joie...

Je dois aussi savoir où Le trouver. Le monde physique est en perpétuel changement; dès lors que ma conscience est reliée à Lui, je ne peux me prémunir contre l'action du temps. En méditation, c'est comme si je guidais ma conscience de ce monde jusqu'à une autre dimension. Lorsque j'entre ainsi profondément en moi, un sentiment de calme m'envahit. Dans ce silence, je fais l'expérience d'un monde éternellement présent, une dimension hors du temps. Ce lieu, qu'on pourrait nommer le monde des âmes, est la maison originelle des âmes. C'est un monde hors de l'espace-temps, un monde de silence et d'immobilité, de paix et de pouvoir, un monde de lumière infinie. C'est aussi là que demeure l'Âme suprême. En y dirigeant mes pensées, je commence à me sentir enveloppé de ses qualités infinies : paix, amour, pureté, félicité, pouvoir... Dans cette relation, la plus parfaite qui soit, je puise la force et la détermination nécessaires pour solder mes comptes karmiques du passé et me créer un avenir stable, paisible et heureux.

Je me relie à l'Être suprême... son magnétisme et son pouvoir élèvent ma conscience au-delà du monde physique... dans une dimension de lumière...

J'accède à une dimension infinie... un monde sans frontières... un espace de tranquillité... de silence... de pureté parfaite...

C'est chez-moi... un lieu où je me sens tellement bien, tellement en paix... Je suis avec mon Parent suprême...

Dans ma demeure, je fais l'expérience de mon état originel de tranquillité, de pureté...

C'est un lieu de repos...

D'ici, je vois, en bas, la scène terrestre comme un lieu d'action, et j'y retournerai dans quelques instants...

Mais pour l'instant, je veux être ici, j'ai envie d'être ici, chez moi, dans ma maison originelle... Avec mon Père, ma Mère, mon Ami ... en Sa compagnie, je réapprends à être observateur... je réapprends à être libre.

Exercice de méditation

Installé dans une atmosphère calme et détendue, imprégnez-vous lentement des pensées qui suivent sur les diverses relations que l'on peut entretenir et développer avec l'Être suprême.

Pensées pour la méditation

Lorsque je rencontre l'Être suprême dans la région au-delà du son et du mouvement, seuls mes sentiments existent.

Dieu lit dans mon cœur ouvert.

Il sait ce que je désire vraiment.

Il répond à ce besoin.

L'honnêteté, la propreté et la clarté dans mon esprit sont tout ce dont j'ai besoin pour profiter pleinement de cette rencontre avec le Père suprême.

Il comble mes besoins et mes désirs les plus profonds de bien des manières dans diverses relations.

En tant que Père, Dieu me donne Son amour et Sa compréhension.

En tant que Son enfant, j'ai droit, dès ma naissance spirituelle, à Son héritage, aux trésors illimités de tous Ses pouvoirs et de toutes Ses qualités.

En tant que Mère, je ressens aussi Sa douceur et Son réconfort. Moi, l'âme, je me repose à Ses côtés, je reçois toute Sa douceur et Son attention.

En tant qu'Ami, je Lui confie mes pensées et mes espoirs, mes doutes et mes problèmes, je n'ai rien à Lui cacher car Il est mon véritable ami.

J'ai toujours plaisir à discuter avec Lui de cœur à cœur à tout instant, en tout lieu… mon Ami est toujours disponible…

En tant que Professeur, Dieu m'emplit de vérité, de sagesse.

Il a réponse à toutes mes questions, me prodigue Ses conseils au moindre besoin, me révèle les secrets du temps et de l'éternité, me dévoile les mystères de la création, clarifie pour moi le sens de la vie… j'ai trouvé en Dieu le Professeur parfait, la Source de vérité…

En tant que Libérateur et Guide, Il me libère de toute forme de peine et de toute souffrance… Il me guide sur la voie de la liberté et du bonheur…

En tant qu'Amoureux, Il réconforte mon cœur.

Avec Dieu pour Bien-aimé, ma quête de l'amour absolu s'arrête… j'ai trouvé la véritable âme sœur et je connais enfin le contentement et la plénitude.

L'expérience de toutes ces relations avec Dieu comble tous mes désirs purs et tous mes rêves… Je n'ai plus besoin de rien…

La graine de toutes ces relations est l'amour.

Chacune de Ses pensées, chacune de Ses actions est motivée par l'amour pur, l'unique désir de faire du bien à l'âme… de l'élever… de la purifier…

L'amour de Dieu est illimité, inconditionnel et infini.

Leçon 8

Le temps n'attend personne. Vraiment ?

Isaac Newton représentait le monde sous forme d'une horloge égrenant les secondes au sein d'une grande horloge cosmique. Le temps est, d'après cette théorie, quelque chose d'absolu. Une seconde est une seconde, ni plus courte, ni plus longue que la suivante. Où que nous soyons, dans notre salon ou à des millions d'années-lumière, quoi que nous fassions, cette horloge avance, indépendamment de toute influence extérieure.

Plus tard, au début du siècle dernier, un personnage énigmatique du nom d'Einstein présentait une théorie dont les implications ébranlèrent les fondements de trois siècles de travaux : la théorie de la relativité. Einstein avançait notamment que la seule manière de mesurer le temps est d'utiliser une horloge à eau ou mécanique et puisque toutes les horloges avancent, le temps dépend du mouvement; il n'est donc pas entièrement indépendant. Einstein n'a pas été le premier à émettre une telle hypothèse; il fut cependant le premier à formuler une théorie mathématique utilisable à ce sujet, comprenant la célèbre équation $E=mc^2$.

Newton dit qu'il existe une horloge cosmique qui fait tic-tac, et qui peut servir à mesurer les choses. Cette horloge de

Newton n'est pas une horloge *véritable* mais une idée, un postulat. Le temps passe, indépendamment de ce qui arrive. Faisons à présent une petite expérience. Imaginons qu'un soir nous allions nous coucher et qu'en nous éveillant le lendemain, tout avance deux fois moins vite que d'habitude. Selon Newton, le *vrai* temps continue d'égrener inexorablement les secondes alors qu'il nous faut pourtant maintenant deux fois plus de temps pour faire quoi que ce soit.

Einstein affirme de son côté qu'on ne peut en aucun cas savoir, en se levant ce matin-là, que tout fonctionne à la moitié de sa vitesse initiale. Il n'y a pas de vrai temps par lequel on pourrait mesurer ce qui arrive. Le temps est une mesure relative à nos activités. Si toutes les horloges du monde se sont ralenties de moitié, le temps lui-même a alors ralenti de moitié. Pour Newton le temps est donc absolu tandis que pour Einstein, il est relatif.

En nous réveillant ce matin-là, tout nous aurait semblé normal. Rien ne nous aurait indiqué que tout a ralenti. La seule manière de s'en apercevoir serait de pouvoir comparer avec quelque chose qui n'aurait pas ralenti. Autrement dit, les choses avanceraient toujours à la même vitesse et en corrélation les unes avec les autres.

Comment ces deux conceptions peuvent-elles m'aider concrètement? Selon ma conception du temps, j'en suis donc soit le maître, soit l'esclave. Si je l'appréhende selon la théorie de Newton, j'en deviens l'esclave, puisque *le temps n'attend personne*. J'ai donc l'impression que je dois me précipiter, mener à bien le plus d'activités possible à chaque seconde de ce temps impitoyable. Maintenant, examinons l'avantage que peut représenter la conception du temps selon Einstein.

Selon une telle vision, le temps dépend de la vitesse à laquelle les changements se produisent. Quel est l'élément variable en moi qui détermine la vitesse à laquelle le temps semble passer? Ce sont mes propres pensées. Si je ralentis mes pensées, le temps semble s'étirer. Si je les accélère, le temps se contracte. Je ne ralentis pas mes pensées comme je ralentirais un disque. Je laisse simplement s'installer un espace entre deux pensées ou même entre deux paroles. Je reprends alors conscience non seulement de mes pensées, mais également des espaces vacants qui les séparent. La conscience de ces moments de paix entre chaque pensée me maintient totalement dans le présent et me donne le sentiment que j'ai une certaine marge de manœuvre, un peu de temps à ma disposition.

Lorsque j'aborde une nouvelle activité, par exemple la première fois que je suis une recette de cuisine, je lis chaque instruction avec beaucoup d'attention. Puis, je me concentre sur ce que je fais, j'accomplis chaque phase de la fabrication du plat et ne reviens au livre de recettes qu'une fois la phase achevée. Cette méthode garantit le bon déroulement de la préparation et le meilleur résultat possible. Comme j'ai aménagé du temps et de l'espace pour mener à bien mon travail, j'en suis satisfait lorsqu'il est terminé.

Comparons à présent cette situation à celle au cours de laquelle les instructions, sous forme de pensées, se succèdent très rapidement. Résultat : tandis que je fais une chose, mon esprit m'incite à poursuivre et à passer à la prochaine étape. Je suis sous pression, j'ai le sentiment de ne pas avoir assez de temps pour tout faire correctement. En conséquence, le travail terminé ne me paraît jamais assez bien fait. Au lieu d'être satisfait, je suis stressé, un peu tendu. Si en revanche la vitesse de mes pensées, de mes propres instructions, concorde avec la rapidité avec laquelle je peux agir, je ne subis ni stress ni tension. J'ai l'impression de disposer du temps nécessaire pour bien faire ce que j'ai à faire. J'ai ainsi le sentiment de me *créer* du temps pour moi-même.

Un autre avantage immédiat à retirer de cette pratique est l'aisance avec laquelle chaque action et chaque réaction peuvent être contrôlées. Je suis comme un grand sportif qui contrôle son esprit dans la pratique de sa discipline.

Les espaces créés par le ralentissement des pensées permettent de changer de direction facilement et de façon instantanée. Si les pensées se bousculent, elles prennent de la vitesse et s'emballent comme une voiture lancée à plein régime. Négocier un virage imprévu dans de telles conditions oblige à freiner brusquement et à mettre en danger mes passagers et ceux qui roulent derrière moi. Une telle bousculade a lieu dans mon esprit que l'arrêt d'urgence me laisse et laisse tous les passagers de la voiture ébranlés et désorientés. Les espaces entre les pensées sont comme des moments d'arrêt temporaire. D'une position stationnaire, on peut emprunter la direction que l'on choisit, en douceur, aisément, sans nuire à personne.

Il est nécessaire à plus d'un titre de forger l'habitude de ralentir ses pensées et de se donner plus de temps. Cette pratique favorise la prise de conscience. Les espaces créés entre les pensées donnent le temps d'apprécier ces doux sentiments de paix et de plénitude que sont les qualités naturelles de l'âme.

Le temps selon Newton est sans conteste le type de temps qui gouverne le monde physique environnant. Il est vrai que sans cette structure solide comme référence, le monde serait chaotique. Toutefois, si je regarde le monde avec les *yeux* d'Einstein, je peux facilement me soustraire à ce monde physique, voler vers cet espace hors du temps, cette dimension élevée, sans mouvement, immobile, paisible. Dans ma résidence spirituelle, j'apprends à ralentir mes pensées au point qu'elles s'arrêtent complètement et, dans ce silence complet, ce calme et cette plénitude, à redécouvrir la beauté de l'éternité.

Exercice de méditation

Prenez l'habitude de dire : *Le passé, c'est du passé.* Continuez à regarder devant vous. Si quelque chose de négatif vous arrive, ne vous sentez pas coupables. Soyez simplement déterminés à triompher de la négativité. Réorientez l'énergie qui dégénère habituellement en culpabilité ou en regrets vers la pensée positive et la volonté, en vous disant : *Oui, je fais des efforts pour changer et m'améliorer.*

Pensées pour la méditation

Je fais l'expérience d'être une âme sans corps… une source de lumière, de paix et de pouvoir dans un monde de lumière…

Je sens que tout est calme… hors du temps… Rien ne bouge… Rien ne change.

J'éprouve un profond contentement …

Moi, l'âme, je ne désire rien d'autre…

Je suis avec Dieu dans ma maison éternelle de silence…

Je plonge dans l'Océan de paix…

Je reste avec la Source de toutes les qualités et me recharge complètement.

Je rayonne de lumière et de paix… Je propage dans le monde les qualités de l'Être suprême.

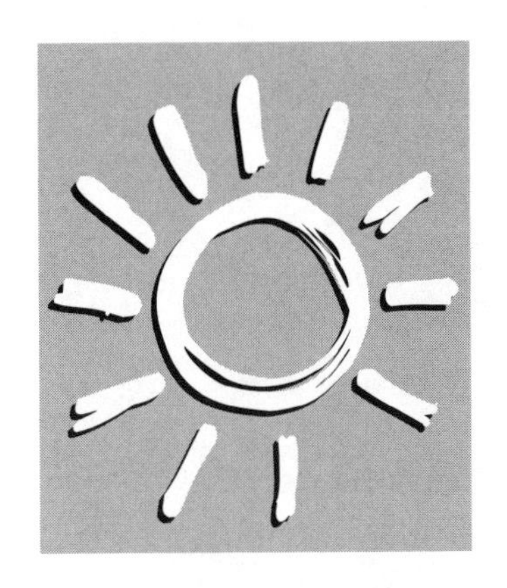

Leçon 9

Les huit pouvoirs

La pratique du Raja Yoga permet de développer plus spécifiquement huit pouvoirs. On pourrait les assimiler à huit qualités, mais le mot *pouvoir* est utilisé ici pour une raison précise. Une qualité est parfois visible, parfois cachée. Les autres peuvent l'apprécier en nous sans pour autant vouloir la posséder. Un pouvoir, lui, ne peut rester caché; il est une constante source d'inspiration pour les autres et leur donne envie d'acquérir ce pouvoir spirituel et de l'utiliser pour se transformer :

- Le pouvoir d'INTÉRIORISATION ou pouvoir de se tourner vers l'intérieur.
- Le pouvoir de LÂCHER PRISE par rapport aux pensées du passé, qui sont moins créatrices.
- Le pouvoir de TOLÉRER.
- Le pouvoir de S'ADAPTER aux situations et aux autres.
- Le pouvoir de DISCERNER ou de distinguer le vrai du faux.
- Le pouvoir de JUGER, d'identifier les priorités et de prendre la bonne décision.

- Le pouvoir de FAIRE FACE aux obstacles et aux pertes.
- Le pouvoir de COOPÉRER avec les autres.

Il est important de connaître ces pouvoirs et de savoir quand et comment les utiliser. Si, par exemple, je tolère constamment le mauvais comportement de quelqu'un et que la situation s'aggrave, peut-être devrais-je avoir recours au pouvoir de faire face. J'ai alors le courage de dire, calmement mais avec fermeté, qu'un tel comportement n'est pas acceptable. Les huit pouvoirs sont tels que, en toute situation, on peut appliquer au moins l'un d'eux. Le bon choix du pouvoir à exercer dépend de sa capacité à rester calme et à garder une vision claire de la situation.

1. **Le pouvoir de se recentrer** constitue la fondation de tous les pouvoirs. Il donne la force de rester calme et positif face aux défis de la vie. Naturellement, les pensées doivent être concentrées et mobilisées au moment d'agir. Mais, même dans l'action, on peut diriger ses pensées vers l'être intérieur et s'exercer à retourner à la paix intérieure. On cesse alors de gaspiller ses pensées et son énergie mentale. C'est le véritable pouvoir de maîtriser qui procure à l'âme beaucoup de force.

Le vent, la pluie, le soleil, les tempêtes… tout cela fait partie de la nature et constitue le monde extérieur… Tout comme la tortue se rétracte dans sa carapace, je retourne en moi, à l'essence de mon être.

Je reprends contact avec le point de paix que je suis. Je retrouve mon équilibre intérieur, cette harmonie, cette force au fond de moi.

Ainsi centré, j'accède à la vérité, la réalité. Je comprends qui je suis et ce que je dois faire.

Avec cette conscience renouvelée de la vérité et de la réalité, je reviens dans le monde extérieur, je peux maintenant agir de la meilleure façon.

2. **Le pouvoir de lâcher prise, de dépasser** les pensées inutiles, ordinaires, d'être en conscience d'âme, aide à voyager léger, à n'emporter que le nécessaire. Ne plus entretenir de pensées négatives ou inutiles libère de la fatigue, aussi bien physique que mentale.

   Cette économie d'énergie donne un regain de force et permet une vision des événements entièrement positive.

Je m'éloigne du cycle du passé, du présent et du futur et je regarde le cycle du temps, tel un observateur...

Je peux voir le passé... Je peux voir le présent...

Je vois aussi le futur.

J'archive les choses du passé, après en avoir tiré tous les enseignements... Je me débarrasse du superflu, de l'inutile, de l'éphémère. Je reste dans l'essentiel, la vérité, la réalité... mes pensées deviennent élevées... et mes actions aussi...

Lorsque je regarde le futur, je vois de la lumière... rien que de la lumière... et de la bonté... J'apprends à aimer ce pouvoir de plier bagage, de lâcher prise.

3. **Le pouvoir de tolérer** les difficultés est la faculté d'être au-delà de l'influence des situations négatives, de savoir ne pas réagir, même en pensée. Si quelqu'un m'insulte, me critique, se met en colère contre moi, ou si je souffre physiquement, je peux rester calme et heureux grâce au pouvoir de tolérance. Sur la base de la conscience d'âme, je peux continuer à émettre des sentiments d'amour, comme un arbre qui reçoit des pierres et offre ses fruits en retour.

En reprenant contact avec mes richesses intérieures... en me reliant à la Source divine, l'Être suprême... je m'emplis de tous les trésors...

J'ai tout ce dont j'ai besoin... Je déborde... Je peux partager généreusement...

Confronté à la colère, je ne réagis pas par la colère...

Je réponds en partageant les fruits de mes réalisations...

Je réponds à l'agression par la paix... à l'animosité par l'amour... à la critique par l'indulgence ...

Un arbre chargé de fruits ne donne que des fruits... Je reçois de Dieu les fruits de tous les trésors spirituels, que je partage avec le monde.

4. **Le pouvoir de s'adapter** permet de se positionner au-dessus de tout conflit de personnalité, d'être capable de se *mouler* dans toute situation. En aucune circonstance on ne sera soi-même à l'origine d'un conflit. On est comme l'océan qui accueille toutes les rivières qui se jettent en lui, on ne rejette rien ni personne. On a le pouvoir de faire évoluer les relations et les situations grâce à ses bons souhaits.

En me reliant à l'Être suprême, je me sens attiré vers l'illimité... je quitte les limitations...

Mon cœur se gonfle et s'ouvre... Je reçois l'amour et la sagesse de l'Être suprême...

J'apprends de Lui le don inconditionnel.

Tout comme l'océan, je suis capable d'absorber, d'accepter...

Je peux m'adapter à des situations et à des personnalités différentes... relever tous les défis...

Ma relation avec l'Océan d'Amour rend ma capacité d'amour illimitée.

5. **Le pouvoir de discerner** est la faculté qui consiste à donner leur vraie valeur à ses pensées, ses paroles et ses actions et à celles des autres. Comme un joaillier qui discerne le vrai diamant du faux, je suis capable de ne garder que les pensées positives et utiles et d'éliminer les pensées négatives ou nuisibles. Les pensées négatives sont celles qui obscurcissent le discernement. On apprend à les éliminer dans la méditation.

Je me détache de la conscience du corps physique. Je suis stable dans la conscience de mon être véritable, l'âme... La lumière de Dieu touche mon intellect et le rend divin...

La poussière accumulée sur l'intellect se dissipe... L'intellect, devenu divin, brille, pur, propre, totalement libre...

Relié à l'Être suprême, je comprends toutes les situations... les différentes facettes du diamant, y compris les imperfections... les différentes énergies qui constituent les relations...

Cette meilleure compréhension est comme une lumière... je distingue plus clairement ce qui est faux de ce qui est beau et vrai.

6. **Le pouvoir de juger** permet de prendre des décisions claires, rapides, précises et impartiales. Il faut pour cela éviter de se laisser influencer par les situations, les émotions ou les opinions des autres. Il faut reconnaître clairement ce qui est vrai et ce qui ne l'est pas. La méditation du Raja Yoga permet de développer cette force et cette clarté de l'intellect pour une compréhension de soi approfondie, une perspective plus détachée, et donc plus objective.

Ma relation avec l'Âme suprême m'éclaire...

Je comprends les tenants et les aboutissants de chaque situation...

Je n'ai de préférence pour personne...

Mon cœur est comblé, mon jugement n'est pas déformé par les désirs...

Je sais identifier les priorités… Je sais ce qui doit être fait… Le bon chemin à prendre s'ouvre clairement devant moi.

7. **Le pouvoir de faire face** ou le courage d'affronter les obstacles de la vie peut notamment se développer grâce à la méditation. La méditation conduit à l'expérience de la nature originelle de paix et au détachement de l'enveloppe corporelle. On est alors en mesure d'observer les problèmes et les difficultés et de les dépasser pour découvrir ce qu'elles recèlent de positif. Voir le bénéfice caché dans une difficulté donne la force d'y faire face.

En me reliant à l'Autorité suprême, tel un enfant à son père ou à sa mère… je reçois en héritage tous Ses pouvoirs.

Elle me transforme et m'élève pour que moi, l'âme, je devienne à mon tour un maître tout puissant…

Je gagne de la force et du courage… Je n'ai plus peur de ce qui peut arriver.

Le pouvoir de Dieu me confère la capacité de faire face à tout ce qui se présente… Je peux rester loyal et authentique sur la voie de la vérité et de la paix.

Dans l'adversité, je reste fidèle à mon Compagnon suprême… Avec le pouvoir de Sa compagnie, je dépasse tous les obstacles…

8. **Le pouvoir de coopérer** avec les autres nécessite d'avoir sur eux une vision en conscience d'âme. Ce regard fraternel crée l'unité et la force dans un groupe et le pouvoir de coopérer qui vient facilement à bout de toutes les tâches, quelle que soit leur importance.

Ces différents pouvoirs, ces cadeaux de Dieu, me permettent d'apporter ma contribution… La force de Dieu et Sa lumière m'aident à donner et à recevoir de la coopération…

Ayant abandonné l'ego et toute autre faiblesse, je sais voir la spécialité de chaque membre de la famille illimitée… Je suis apte à coopérer avec tous.

Ensemble, dans la conscience d'un seul Père, chacun apporte sa contribution… et le travail est accompli… Unis, nous sommes capables de soulever des montagnes.

Les mots je, moi *et* mon, ma, mien *ne font plus partie de notre vocabulaire… Il n'y a plus que le Père et Son œuvre… avec cette seule pensée, nous nous unissons… pour servir.*

Plus je fais appel à ces huit pouvoirs en toute situation, plus leur impact sur ma vie sera prépondérant et bénéfique.

Pour conclure

Ce manuel vous a brièvement présenté les concepts d'étude et de pratique de la méditation du Raja Yoga. Pour utiliser ces informations au niveau personnel de façon sensée et satisfaisante, il faut comprendre le but du Raja Yoga : offrir des outils permettant à chacun de recouvrer une bonne maîtrise de son esprit et de sa destinée, et d'accéder à une paix de l'esprit durable. Il est donc important que chacun progresse à son rythme et à sa convenance. Il est avant tout nécessaire de développer la confiance, la foi en soi.

Avoir *foi en soi* veut également dire avoir le courage d'explorer ce qui paraît difficile à expérimenter. Une foi aveugle ne peut constituer une base solide. Le Raja Yoga transmet une connaissance très spécifique qu'il faut analyser et comprendre afin d'en avoir une idée claire.

Pensez aux conséquences du fait d'être une âme pure et en paix. Quel impact a cette réalité dans votre vie de tous les jours? Comment influence-t-elle vos relations?

La loi du karma vous renseigne-t-elle de façon satisfaisante sur les situations qui surviennent dans votre vie et dans le monde?

Si Dieu existe, quelle relation pouvez-vous entretenir avec Lui ?

Ce n'est qu'en examinant l'impact de cette connaissance sur votre vie que vous pourrez estimer la valeur de vos expériences de méditation dans vos interactions quotidiennes. Lorsque vous vous installez en méditation, observez si votre expérience concorde avec l'information reçue. Si vous pratiquez la conscience d'âme au cours de la journée, voyez si elle donne les résultats escomptés. C'est ainsi que se construit la foi; elle a pour fondation vos propres expériences, non seulement en méditation mais aussi dans votre vie pratique.

Pour mesurer vos progrès, gardez à l'esprit d'où vous venez et où vous voulez aller. Comprendre d'où l'on vient ne présente pas de difficulté. Savoir à quel niveau on veut accéder est déjà plus délicat. Un des aspects de la connaissance du Raja Yoga est : *Je suis une âme en paix*, ou *Om Shanti*. Mais comment en faire l'expérience ? Le désir de paix est pourtant profondément ancré en vous, comme un souvenir à moitié oublié. Cette empreinte, enfouie au fond de vous, révèle que vous avez, par le passé, vécu une très profonde expérience de paix. Ce que vous désirez vivre ne vous est pas inconnu. Votre but est tout simplement de le redécouvrir et d'éprouver à nouveau ce sentiment oublié : une paix si grande qu'elle comble l'âme parfaitement. Lorsque vous expérimentez la paix en méditation, elle vous semble naturelle, facile à atteindre. Vous pouvez constamment renouveler cette expérience. Quoi que vous fassiez, que vous disiez, quoi qui se passe autour de vous, restez *Om Shanti*, plongés dans l'Océan de paix et propagez des vibrations de paix pour tous. La foi se construit et grandit sur la base de la compréhension et de l'expérience. Assurez-vous donc simplement de bien combiner l'étude de la connaissance, la théorie, avec vos expériences de méditation et de transformation de votre vie. Votre existence même deviendra ainsi une source d'inspiration, de positivité et de bonheur pour tous.

L'auteur

Jayanti Bhen est professeur de Raja Yoga, guide spirituel, pionnière et ambassadeur de paix. Elle possède une vision et une expérience vraiment universelles et profondément spirituelles. C'est peut-être parce qu'elle est l'enfant de deux cultures. Née en Inde de parents Sindhi qui ont émigré en Angleterre lorsqu'elle avait huit ans, elle allie la sagesse orientale à l'éducation et à la culture occidentales. À dix-neuf ans, elle commence son cheminement spirituel après sa rencontre avec Brahma Baba, fondateur des Brahma Kumaris. Deux ans plus tard, elle décide de consacrer sa vie à l'amélioration et à l'éveil spirituel du monde. Elle a pratiqué pendant plus de quarante ans avec certains des yogis les plus remarquables. Elle a développé une pureté et une clarté d'esprit hors du commun. Jayanti est également une conférencière très recherchée. Sa sagesse naturelle et sa personnalité à la fois emplie de pouvoir et de simplicité ont touché et inspiré des milliers de gens dans le monde entier. Elle dirige la section

Europe des Brahma Kumaris et contribue à la coordination des activités de l'institution dans plus de soixante-dix pays. Elle est également la représentante de l'Organisation auprès des Nations Unies à Genève.

Les Brahma Kumaris

Depuis sa création en 1937, la *Brahma Kumaris World Spiritual University* (BKWSU) dispense un enseignement favorisant l'épanouissement des valeurs spirituelles et morales, de la dignité de l'individu et des qualités inhérentes à chacun. Elle propose, dans plus de 6 000 centres répartis dans 90 pays, de nombreux programmes comprenant l'enseignement de la méditation, des ateliers de développement personnel et une sensibilisation à la paix. La *Brahma Kumaris World Spiritual University* est une Organisation non gouvernementale affiliée au Département de l'information des Nations Unies. Elle est dotée du Statut de Consultant Général auprès du Conseil économique et social. Elle a reçu de nombreux prix internationaux dont sept prix de *Messagers de la paix* de la part des Nations Unies.

Tous les centres Brahma Kumaris fonctionnent grâce aux contributions volontaires et au bénévolat des participants, ce qui permet que toutes les activités soient dispensées gratuitement.

Quelques adresses

Pour en savoir plus sur les Brahma Kumaris ou pour contacter un centre près de chez vous, vous pouvez consulter les pages Web suivantes :

En français :	www.rajayoga.asso.fr
	www.bkwsu.asso.fr
En anglais :	www.bkwsu.com

Siège mondial
Pandav Bhawan
Post Box No. 2, Mount Abu 307501
Rajasthan – India
Tél. : 91-2974-238261 à 68
Téléc. : 91-2974-238952
abu@bkindia.com

Siège en Occident
Global Co-operation House
65 Pound Lane, London NW10 2HH
United Kingdom
Tél.: 44-20-8727-3350
Téléc.: 44-20-8727-3351
london@bkwsu.com
www.bkwsu.org.uk

Canada
L'Émergence – Centre Brahma Kumaris
7501, rue Saint-Denis
Montréal (Québec) H2R 2E7
Tél. : (514) 271-7717
Téléc. : (514) 272-8250
centre@emergence-montreal.com
www.emergence-montreal.com

Centre Brahma Kumaris
1040, avenue Belvédère, local 313
Québec (Québec) G1S 3G3
Tél. : (418) 682-0203
Téléc. : (418) 682-5312
quebec@bkwsu.com

France
Centre de Raja Yoga BKWSU
74, rue Orfila
Paris 75020

Tél. : 33 43 58 44 27
Téléc. : 33 43 58 38 13
bkfrance@wanadoo.fr
www.bkwsu.asso.fr

Belgique
Jan Persijnstraat 2, b22
Kortrijk 8500
Tél. : 32-56-25-21-75
Téléc. : 32-56-25-21-75
bkwsu.kortrijk@pandora.be

Guadeloupe
Impasse Majoute
Basse Terre - 97100
Tél./ Téléc. : 590-81-10-94

La Réunion
926 chemin du tour des roches
Savannah St-Paul – 97460
Tél./Téléc. : 262-45-26-47
Bk.rajayoga.reunion@wanadoo.fr

Suisse
12, rue J.-A. Gautier
Genève – CH1201
Tél. : 41-22-731-1235
Téléc. : 41-22-731-1270
geneva@bkwsuch.om
www.bkwsuch.com

Les ailes de l'âme

Libérer son identité spirituelle

Dadi Janki est une yogi, un être qui cherche l'union avec Dieu. Son existence fut consacrée à bâtir une expérience intrinsèque du divin, et à la partager avec le monde. Cet ouvrage révèle une sagesse accomplie de l'essence spirituelle de l'être, et la façon dont cette vérité peut être appliquée et nourrie chaque jour. Dadi Janki est persuadée qu'avec l'aide de Dieu, nous pouvons parvenir à une compréhension de soi et des autres telle que les fardeaux du passé s'effacent, permettant de reconstituer la totalité de son potentiel.

À l'instar de la poésie, ce livre vise à emmener l'âme vers un état de bonheur durable.

Accessibles à tout lecteur, ces pensées peuvent servir quotidiennement à transformer nos cœurs et nos esprits jusqu'à ce que nous puissions, comme Dadi Janki, nous mouvoir dans la vie aussi librement que des anges : élevés mais proches, emplis d'amour mais détachés, sur les ailes de l'âme.

Voyageant inlassablement, Dadi Janki symbolise l'indépendance qui donne aux femmes le pouvoir de devenir des guides spirituels de leurs communautés. Dadi Janki administre la Brahma Kumaris World Spiritual University. Elle fait partie du groupe éminent des Gardiens de la sagesse qui se sont réunis aux « Sommet de la Terre » des Nations Unies à Rio de Janeiro et à Habitat II à Istanbul. Constitué de guides spirituels et religieux, ce groupe conseille les dirigeants politiques sur les dilemmes spirituels à l'origine des problèmes actuels d'environnement et de démographie.

ISBN 2-89092-264-2 • 168 PAGES

Québec, Canada
2004